For Anna, who always laughs at my jokes.
Well, usually.
L.C.

To my young grandma, with love.
J.N.

Text copyright © 1993 Lindsay Camp
Illustrations copyright © 1993 Jill Newton
Dual language text copyright © 2008 Mantra Lingua
Audio copyright © 2008 Mantra Lingua
This edition 2008

Mantra Lingua
Global House
303 Ballards Lane, London N12 8NP
www.mantralingua.com
www.talkingpen.co.uk

Udržať's leopardom

Keeping Up With Cheetah

Written by Lindsay Camp
Illustrated by Jill Newton

Slovakian translation by
Eva Tomova

Mantra Lingua

Leopard a nosorožec milovali rozprávanie vtipov.
V skutočnosti leopard hovoril vtipy a nosorožec
len počúval a smial sa – zhlboka, hlasno, hlučne.
Vtipy neboli veľmi vtipné, ale nosorožec myslel boli.
A to je prečo boli takí dobrí kamaráti.

Cheetah and Hippopotamus loved telling jokes.
Actually, Cheetah told the jokes. Hippopotamus just
listened and laughed – a deep, bellowy laugh.
The jokes weren't very funny, but
Hippopotamus thought they were.
And that's why they were such
good friends.

Ale jedna vec sa leopardovi na nosorožcovi nepáčila,
nosorožec nevedel behať veľmi rýchlo.

But one thing about Hippopotamus
annoyed Cheetah – Hippopotamus
couldn't run very fast.

„Poďme nosorožec," leopard kričal hlasno.
„Ak nemôžes bežať so mnou, nebudeš počuť
moje nové vtipy."

"Come on Hippopotamus," Cheetah would
shout impatiently. "If you can't keep up
with me, you won't hear my new joke."

Ale to nebolo dobré. Nosorožec nemohol bežať tak rýchlo ako leopard.
Tak leopard sa skamarátil so pštrosom. Nosorožec sa rozplakal.
Ale namiesto, precvičovania behu, bol taký zničený, že si musel ľahnúť.

But it was no good. Hippopotamus couldn't run as fast
as Cheetah. So Cheetah made friends with Ostrich instead.
Hippopotamus felt like crying. But, instead, he practised
running until he was so out of breath that he had to lie down.

A vedel, že stále nemohol
behať s leopardom.

And he knew he still couldn't
keep up with Cheetah.

Pštros mohol – veľmi blízko hociako. Leopard myslel ako
bystrý on bol mal takého dobrého nového kamaráta.
„Chcel by si počuť môj nový vtip?" opýtal sa.

Ostrich could – very nearly, anyway. Cheetah thought how
clever he was to have made such a good new friend.
"Would you like to hear my new joke, Ostrich?" he asked.

„Nie d'akujem," povedal pštros. „Ja nemám rád vtipy. Pod'me ešte trošku behat."

"No thank you," said Ostrich. "I don't like jokes. Let's run some more."

Leopard mal dosť behu za celý deň. On chcel rozprávať vtipy.
Tak sa skamarátil so žirafou. Teraz nosorožec bol ešte viac
sklamaný bežať tak rýchlo ako leopard.

Cheetah had run enough for one day. He wanted to
tell jokes. So he made friends with Giraffe instead.
Now Hippopotamus was even more determined
to run as fast as Cheetah.

Tak on sledoval ako žirafa a leopard spolu klusajú.
Žirafine dlhé nohy vyletovali dopredu a leopard kýval s jej
chvostom zo strany na stranu udržať jej rovnováhu.

So he hid and watched as Giraffe and Cheetah galloped by.
Giraffe's long legs flew out in front and Cheetah lashed
his tail from side to side to keep his balance.

Potom nosorožec sa snažil spraviť to isté.
Nebolo to ľahké.

Then Hippopotamus tried to do the same.
It wasn't easy.

Nosorožec spadol dole s BUCHOTOM!
Nebolo by to dlho predtým on stále
nemohol udržať s leopardom.

Hippopotamus fell down with a CRASH!
It would be a long time before he could
keep up with Cheetah.

Žirafa mohla – veľmi
blízko hociako.

Giraffe could – very
nearly, anyway.

„Chcela by si počuť moj nový vtip žirafa?" Leopard sa spýtal.

„Prosím?" povedala žirafa. „Ja ťa nepočujem z takej výšky."

„Čo je to za dobrého kamaráta, kto nepočúva moje nové vtipy?"
Pomyslel s leopard.

"Would you like to hear my new joke, Giraffe?" Cheetah asked.
"Pardon?" said Giraffe. "I can't hear you from up here."
"What's the good of a friend who doesn't even listen
to your jokes?" thought Cheetah crossly.

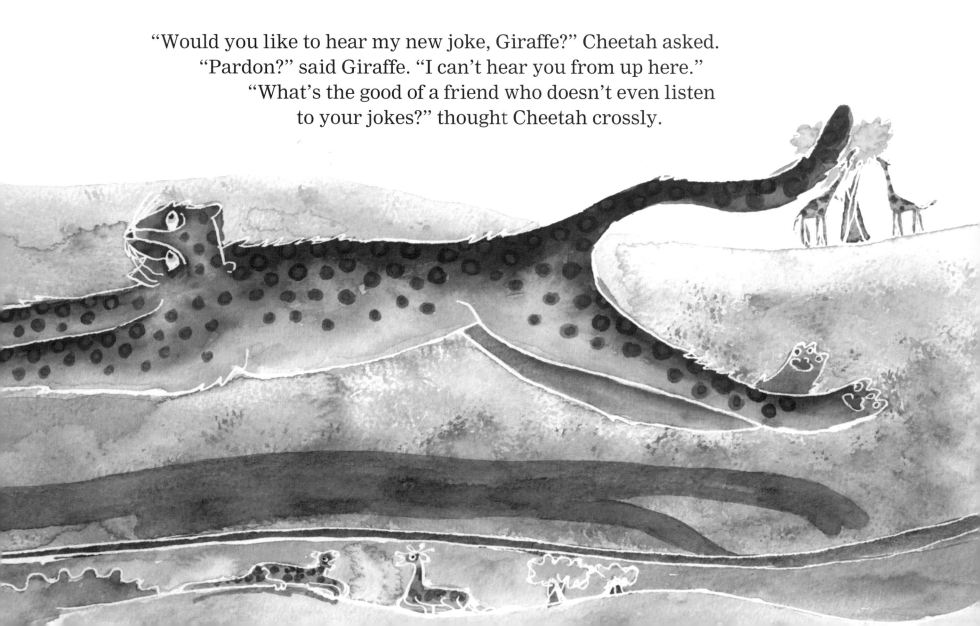

A tak sa skamarátil s hyenou namiesto.
Keď nosorožec to uvidel, sa cítil horúco a znudene.
To bola len jedna vec keď sa cítil lepšie.

And he made friends with Hyena instead.
When Hippopotamus saw this, he felt hot and bothered.
There was only one thing that would make him feel better.

Dobré, dlhé, hlboké, bahnité koryto.
Nosorožec miloval kúpanie sa v koryte. Hlbšie, bahnitejšie,
viac si to užil. On sa nekúpal v koryte veľmi dlhý čas,
pretože leoapard povedal že je to špinavé.

A good, long, deep, muddy wallow.
Hippopotamus loved wallowing. The deeper, the muddier, the more
he enjoyed it. But he hadn't had a wallow for a long time,
because Cheetah said it was dirty.

„Nuž," pomyslel si nosorožec, „Možem robiť čo sa mi páči."
A potopil sa do rieky – SPLAŠ!, cítil sa úžasne.

"Well," thought Hippopotamus, "I can do what I like."
And he dived into the river – SPLOOSH!
It felt wonderful.

Ako tam leží, pomyslel si ako bol hlúpy. On nemohol behať rýchlo,
ale on sa mohl kúpať. Ale aj cez to bol smutný, že stratil kamaráta,
on vedel že by nikdy nemohol behať s leopardom.

As he lay there, he thought how silly he'd been. He couldn't run fast,
but he could wallow. And although he was sad to lose a friend,
he knew that he would never be able to
keep up with Cheetah.

Hyena mohla veľmi skoro hociako.
Leopard bol veľmi potešený. „Klop, klop," povedal leopard.
„Ha, he, he, he," povedala hyena.

Hyena could – very nearly, anyway. Cheetah was very pleased.
"Knock knock," said Cheetah.
"Ha-hee-he-heeee!" said Hyena.

„Ty by si mohla povedať „Kto je tam?"" zaškriekal leopard. „Aký je dôvod hovorenia ti vtipov, keď sa smeješ predtým ako dohovorím vtip?"
„Ha, he, he, he, he, he, he, ha!" zaškriekala hyena.

"You're supposed to say, 'Who's there?' " snapped Cheetah. "What's the point of telling my new joke, if you laugh before I get to the funny bit?"
"HAH-EH-HEH-HEE-HEE!" screamed Hyena.

Leopard si rozmyslel, čo vážne potrebuje bol odlišný druh kamaráta. On mohol behať sám, ale rozprávanie vtipov, bol len jeden kto počúval a len jeden kto sa smial, z jeho kúskov. Kde by našiel takého kamaráta?

Then Cheetah realised that what he really needed was a different sort of friend. He could run by himself, but telling jokes was only fun if someone listened – and only laughed at the funny bits. Where could he find a friend like that?

On už mal takého! Leopard bežal k stromu ak nosorožec tam nebol.
Ako leopard odchádzal pomaly preč, si pomyslel ako hlúpy bol
stratiť takého dobrého kamaráta.

He already had one! Cheetah ran to the shady tree but
Hippopotamus wasn't there. As Cheetah walked slowly
away, he thought how silly he had been to lose such
a good friend.

A z ničoho nič, uvidel oči sledujúce ho z rieky.

Suddenly he saw a pair of eyes
watching him from the river.

„Klop, klop," povedal leopard.
„Kto je tam?" povedal nosorožec.
„Ja samozrejme," povedal leopard.
A nosorožec sa smial a smial.

"Knock knock," said Cheetah.
"Who's there?" said Hippopotamus.
"H-eetah, of course!" said Cheetah.
And Hippopotamus laughed
and laughed.

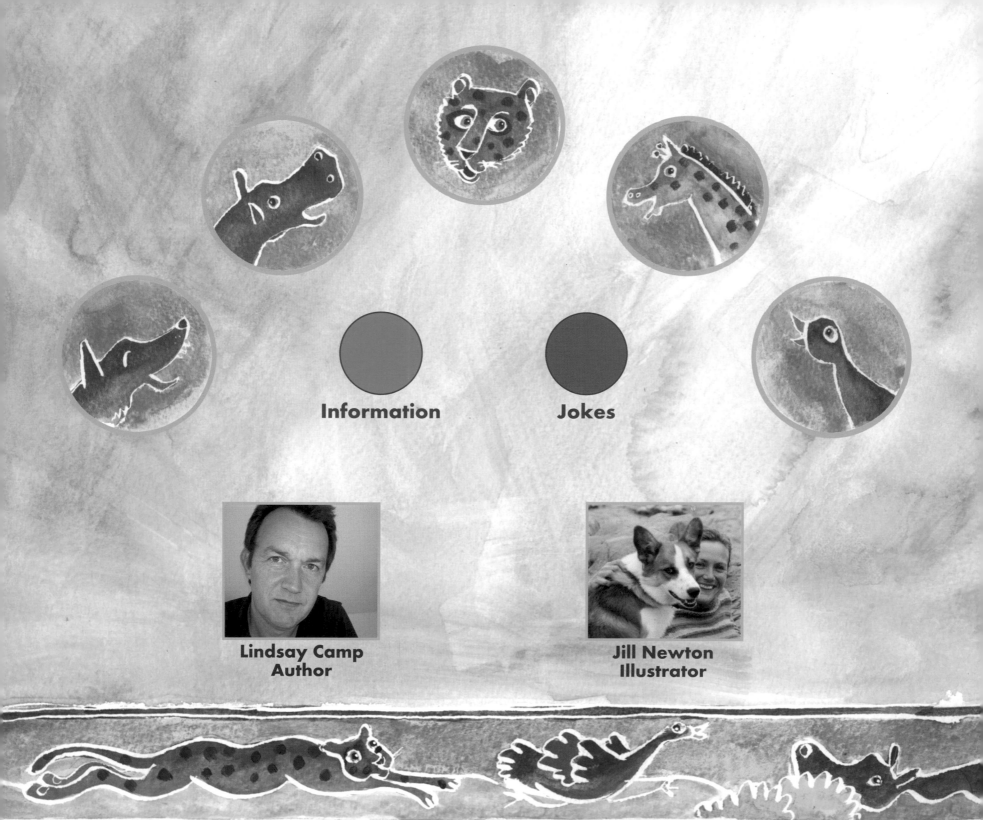

Information

Jokes

Lindsay Camp
Author

Jill Newton
Illustrator

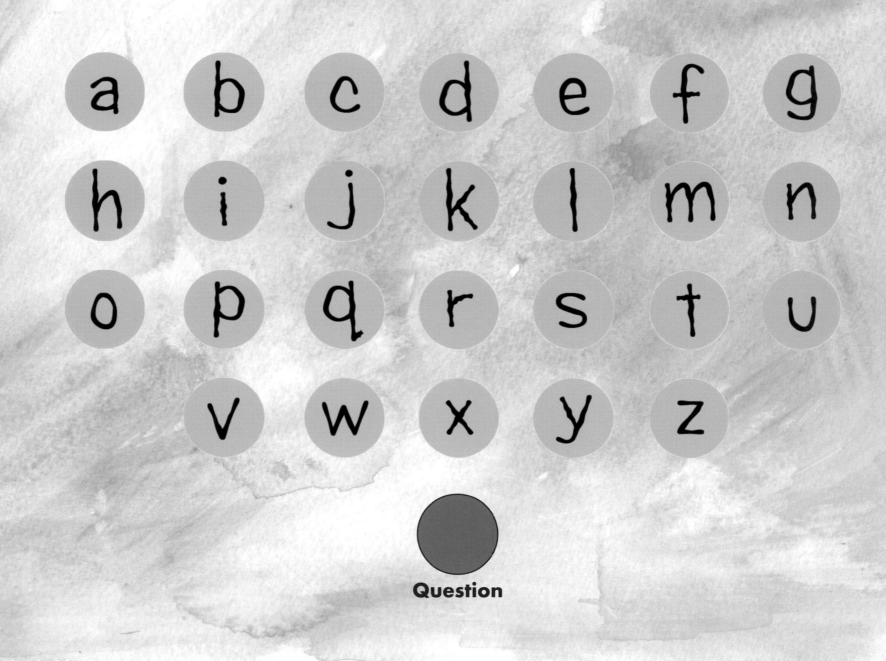

a b c d e f g
h i j k l m n
o p q r s t u
v w x y z

Question

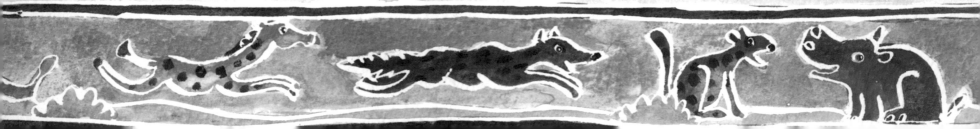

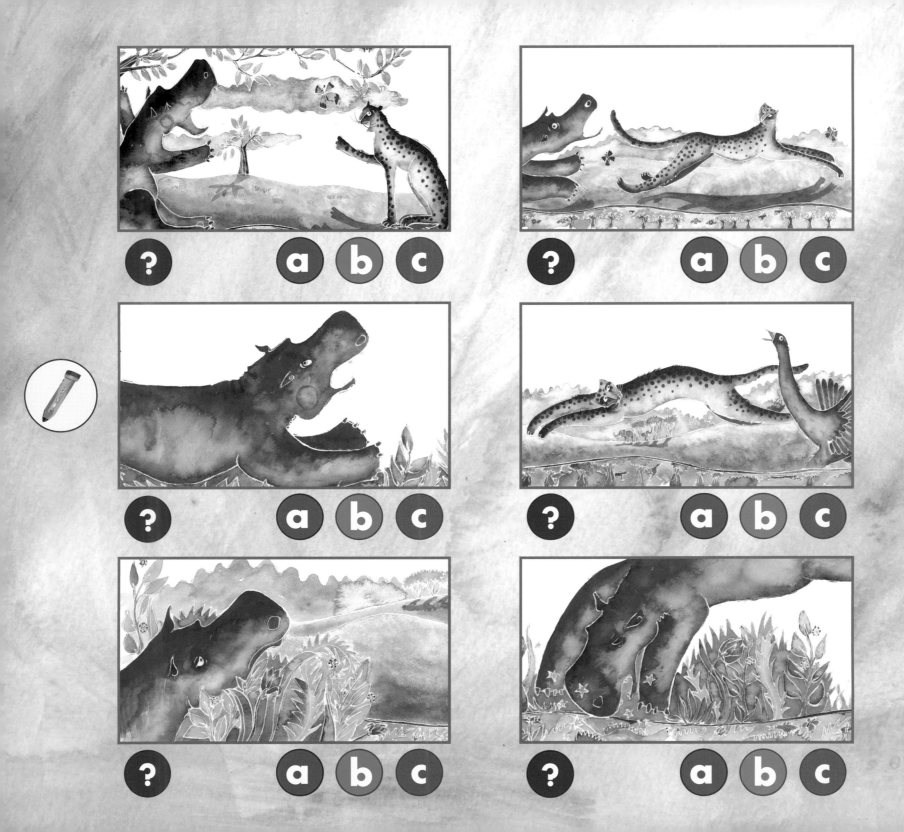